El hombre triángulo

COLECCIÓN LA MONTAÑA DE PAPEL

El hombre triángulo

Rey Emmanuel Andújar

ISLA
negra
EDITORES
San Juan / Santo Domingo

SAN JUAN / SANTO DOMINGO

El hombre triángulo
ISBN 1-932271-43-0
Primera edición, 2005
Segunda edición, corregida, 2006
Tercera edición, corregida, 2007
Cuarta edición, 2015
©**Rey Emmanuel Andújar**
Para esta edición:
©**Editorial Isla Negra**

Evaluación editorial:
Mónica Volonteri
Diseño gráfico y diseño de cubierta:
José María Seibó
Corrección:
Lucinda Ausente y Andrea Córsica
Foto de portada y de solapa
Ruben J. M. Ramos

Editorial Isla Negra
P.O.Box 22648
Estación de la Universidad
San Juan, Puerto Rico 00931-2648
www.editorialislanegra.com

Impreso en Puerto Rico

A mi madre, todo lo que escriba.

Y esa voz se extingue como pájaro muerto;
hacia el mar encamina sus deseos amargos,
abriendo un eco débil, que vive lentamente.
Luis Cernuda
Quisiera estar solo en el Sur

Es un santo. Estoy convencida.
Un santo desesperado.
¿Existe una cosa semejante?
Michael Ondaatje
El paciente inglés

En la misma muerte todo en él es bello.
Opone al adolescente,
al joven guerrero moribundo,
al anciano, cuyo cuerpo decrépito
yace lentamente tendido.
Lo mejor de lo que existe es el joven héroe
en el acto de morir.
Raymond Bayer
Historia de la estética

La tortura se iba transformando
en una inexplicable delicia.
Augusto Roa Bastos
El trueno entre las hojas

El aguacero, de manera impertinente, ha despertado al teniente Pérez. Con sobresalto se recrimina por haber dejado la ventana abierta otra vez. De inmediato justifica la acción pensando en el insoportable calor de la madrugada de hace un rato. Ahora bosteza resignado, hay que reconectar el círculo. Se hace tarde, tiene que matarse.

Gracias a Dios, dice en voz alta mientras se toca la cara. Ya se había afeitado en el destacamento, anoche antes de comenzar el servicio. Decide usar la misma ropa interior: No está sucia, no huele mal. Eso no lo dijo en voz alta, lo pensó muy para sí mismo y muy rápido para no sentirse asqueroso. Pérez podía pasar horas dándole mente a simplezas como ésa o como haber bebido café sin lavarse los dientes o no haberse lavado los dientes luego de haber comido… Desde que salió de la Academia Militar, hace poco más de cuatro años, estos pensamientos ridículos, pequeños, fijaban residencia dentro de él: Qué hubiese pasado si no me hubiese enganchado a la guardia. Qué, si papá me hubiese pedido como a los demás, si me hubiese ido a Nueva York. Qué clase de civil sería hoy día. Dentro de todas esas sombras que nublaban su interior se destacaba una oscura, desafiante: Tengo que acabar con todo esto. Tengo que matarme.

*****

El destacamento quedaba detrás de la avenida México en el barrio de San Carlos. Dentro de la pequeña y verde fortaleza estaba Pérez con el uniforme ligeramente arrugado y revisándose los sobacos. Coloca la nueve milímetros en su escritorio y la voz, entre militar y melodiosa, llama al sargento de guardia. Assusss óldene eeeeñol, grita taconeando el lambón del sargento. Las novedades del servicio, Mariñez, preguntaba Pérez sin siquiera levantar la vista del cajón en el escritorio. Sin novedade mayore mi comandante, namá que vario elemento que mandaron de Villa Francica polque se hizo una redada anoche de la Mella jata la Dualteconparí y no cabía un alma allá, comando. Pérez se pasaba la mano por la barba que empezaba a crecer, miraba por las persianas a la nada, reparaba en el polvo, maldecía: Me cago en Ceuta, cuándo coño le van a dejar la vida en paz a uno en este destacamento… A ver, quiénes fueron los afortunados. Las manos lambonas de Mariñez abrían el cuaderno sucio, arrugado, donde se reposaban las novedades: Na del otro mundo comando: un decuidita, un rompedol, tambien tá Malgarito, que lo mandán de nuevo polque cosió a su compadre a puñalá; dique el hombre le dijo malditomaricón delante de la gente… y un tipo que amaneció dando vuelta corriendo en pelota pol el palque Enriquillo.

Mariñez extendió el pobre cuaderno al comandante. Fue la primera vez que Pérez miró al sargento a los ojos. En realidad el reporte del servicio no era nada fuera de lo común pero las notas enviadas desde el otro destacamento acerca de los presos trasladados llamaron la atención del teniente. ¿Qué-es-esta vaina?, gritaba Pérez entre sorprendido y molesto, "… cuando nos dirigimos al sujeto, éste cayó como desvanecido, fulminado por el impacto de la aurora." ¿Qué-mierda-es-esto? Mariñez, lambón, aclaraba: Eso… eso e el ecribiente de ese detacamento comando. E que el mariconcito se cree poesta. Pérez lo interrumpió: Pues yo le voy a enseñar a redactar un informe como un hombre. Dígale a Rodríguez que saque el motor ahora mismo, que nos vamos a Villa Francisca. ¡Si eeeeeñol!, respondió Mariñez.

Bajaron directo por la México. Unas cuantas calles después, Pérez había notado que salió del destacamento sin revisar las celdas, sin mirar a los detenidos. Sin ver al tipo encuero.

*****

Eso de dar órdenes, hablar duro y caminar con el pecho erguido son vainas de militares. Un estudio modesto, medianamente psicológico, nos revela que: te metes a cualquiera de las tres academias militares, (La Batalla de las Carreras, la Escuela Naval o la Academia de la Policía, en San Cristóbal) o no te metes, te enganchas porque estás cansado de que la policía te joda en la calle. Si tienes carro te encojona tener que estar sobornando en los semáforos porque te paran sin motivos. Porque si eres morenito y la ropa no te ayuda te jode que no te dejen entrar a La Torre o a Nivel Uno o que en su defecto te digan: Lo sentimos, fiesta privada, en Café Atlántico o en Neón, en su otro defecto. Lo que te queda entonces es irte para La Cuora, El Águila o Candy y esas no son muy buenas opciones.

En el liceo o en el colegio, todo depende, te venden la idea de que los cadetes son como Los Guardias del Cielo donde todo está cerca. Te dicen: Imagínate que desde que eres primer año hasta los sargentos tienen que hacerte el saludo en la calle. Y ya el gusanito de la hombría y el maldito machismo-heterodominicano se te van inflando.

Lo que completa la vaina es que tus amigas de bachillerato hacen filas para que en sus fiestas de quince años bailen cadetes y donde en verdad se jode el asunto es cuando tú… sí, tú mismo, eres chambelán de esa misma fiesta de quince años donde la festejada es nada más y nada menos que tu mismísima novia quien además es la hija del Asistente del Jefe de Estado Mayor de la Marina de Guerra o en su defecto es la sobrina del Sargento Mayor encargado de la cocina del Club de Oficiales de la Fuerza Aérea. Y ahí entre trece mozalbetes llenos de espinillas, y vestidos ridículamente con tuxedos requeteusados y alquilados en Casa Lalá, emerge victoriosamente impecable y vestido de blanco el Guardiamarina Brigadier de la promoción de Cuarto Año de la Gloriosa Escuela Naval Marina de Guerra o un cadete de Segundo Año de la Fuerza Aérea, impecablemente vestido de azul. Ahí mismo es que tomas la decisión.

Entras, te afeitan la cabeza y te sientes supremo. Recuerdas una por una todas las películas de los Navy Seal, Rambo, Chuck Norris, sin dejar detrás al clásico: Un Oficial y un Caballero (maldita sea la hora en que Richard Gere se ve tan bien en ese uniforme.) Te pasas cuatro años jalando más aire que un compresor. Limpiando pisos y planchando con cinco filos miles de camisas, toallas, pantaloncillos y sábanas. No mencionaremos aquí el Sí, señor y el No, señor, y la lambonería y el taconeo porque eso ya es para toda la vida. Cuatro años marchando y corriendo para todo y a todas horas, y visitando tu familia los fines de semana y agachándote un poco para entrar por las puertas porque los cuernos que tu novia de pone de lunes a viernes son memorables. Cuatro años, te gradúas, tu mamá llora de emoción y tú también coño te lloras casi un poquito y te engrifas cuando el Ilustre Maestro de la Oratoria Dominicana, el Glorioso General (creo que ya debe ser General) Osvaldo Cepeda y Cepeda dice: Ahora el Excelentísimo Presidente Constitucional de la República coloca las insignias de oficiales a los Cadetes de Cuarto Año de que sé yo promoción de la Academia Militar del Ejercito Nacional y ¡Helos ahí! Los que desde ya son defensores de la patria de Duarte, Sánchez y Mella. ¡Madre, he ahí a tu hijo. Oficial, he ahí a su madre! Y bla bla bla bla bla bla. Tiras el kepis de cadete cuando tu madre te coloca el de oficial, lo tiras muy muy alto. Cuatro años para verte, sentirte y sentarte en la cola de un Yamaha 100 bajando frente al destacamento de Villa Francisca.

*****

Desde el punto de vista civil los destacamentos policiales no son iguales. No en el sentido arquitectónico o de localización geográfica. Los destacamentos se diferencian civilmente en el tipo de diligencia que se vaya a realizar: Si vas a buscar a tu primo o amigo que amaneció allí porque venía de la universidad y caminando rápido para alcanzar una guagua en alguna avenida oscura, te hacen la vida imposible para entregártelo. Claro, antes debes de buscarlo en otros catorce destacamentos, llamar a tu padrino que es amigo de algún capitán de los bomberos e ir preparado para salir con la moral por el suelo. Ahora bien, si vas a colocar una denuncia ve preparado para que no aparezca ni el lapicero con el que van a anotar tu declaración, para que nadie te crea una palabra de lo que estás diciendo y para que tu caso no se resuelva nunca. Pero si vas como detenido la cosa cambia, para mal, claro: Quítese la correa y sáquese los cordones de los zapatos coño. Pero comandante… Cállese coñazo, comandante nada, camine para allá detrás.

Así va la cosa. Entras a la celda, la cual, como es preventiva debes compartir con atracadores, maleantes, salteadores, tumbadores, descuidistas, rompedores, crakeros, etc. Además debes oír los gritos y maldiciones de las prostitutas allí alojadas, que nunca son menos de tres. Maldicen y putean de manera individual aunque en ocasiones optan por mandar a la misma mierda a los policías, al unísono. Los insultos son variadísimos: Ojuala te muera pol degraciao. Sé abusadol parece que nunca a teñío mái, sé hijoelagranputa. La veldá no sé que lo que tanto priva sé mamaguevo polque se policía é un trabajo de perro pa'bajo. Deja que venga Pérez que mañana tú va tá jaciendo selvicio en Pedelnale jijoetumalditísima madre. Señores, desde allí dentro, todos los destacamentos son iguales.

En sus momentos de brutal frustración, Pérez se mortificaba pensando si él podría resistir el hecho de estar en una de las celdas. Luego se consolaba y pensando que el hombre que ha pasado por la Academia aguanta de todo. Pero vuelve atrás y se dice que no, que le sería difícil el encierro, el mal olor de las celdas...

Al llegar a Villa Francisca se dirigió de inmediato a la oficina del teniente Rojas. Una oficina organizada, con aire acondicionado y olor a desinfectante Mistolín Floral. ¡Qué dice ese tronco de teniente!, saludaba el hipócrita de Rojas que se trataba de arreglar el pantalón almidonado y metía la barriga para esconder la panza que ya se le estaba notando producto de la buena vida, el plato de casa, la buena cama. Usted luce cansado, tigre, póngase en órbita, deje de beber, deje la parranda, que ya me han contado. Pérez apretaba la mano del monigote y podía respirar la falsa preocupación; por fin habló: Mierda, no tengo tiempo para sermones... Explícame eso de andar mandando presos para San Carlos; ustedes tienen que llamar, averiguar si uno tiene espacio suficiente. Por otro lado, el escribiente tuyo se está poniendo a escribir disparates en los informes y eso me encojona, mándalo a buscar por favor.

Órdenes en voz alta y mandatos: Manden a buscar al comemierda del escribiente. ¡Sí, señor! Párese en atención carajo que le está hablando un oficial. ¿Usted escribió los partes de ayer? Sí, mi comandante. ¿El del tipo encuero en el parque? Sí, señor. Entonces explíqueme esa mariconería de que cayó fulminado por el impacto de la aurora. Así fue comando. ¿Cómo coño que así fue comando, usted está loco? Respetuosamente señor, el cabo y el raso que lo perseguían por el parque dieron como tres vueltas para alcanzarlo; a la cuarta vuelta, el sol, que no había salido ya que era de madrugada aún, hizo su aparición por el lado acostumbrado. Según ellos cuando el primer rayo les nubló la cara, él paró de correr cual robot o máquina automática, abrió los brazos y se desmayó. ¿Y no dijo nada?, preguntaba Pérez bajando la guardia, perplejo. No, nada, sólo tenía una gran sonrisa y los ojos entreabiertos pero respiraba cuando acá llegó.

*****

Pérez salió perturbado de Villa Francisca. Tenía el defecto de pensar demasiado, de complicarse más de la cuenta. El asunto del tipo ese encuero lo había dejado intrigado. Sentado en el parque un niño limpiabotas le ofrece brillarle los zapatos y él lo deja hacer. Cuidado con las medias y sin mucha pasta, carajito, le dice Pérez, mientras sus ojos casi marrones y de una belleza demasiado animal se pierden en el vacío, y se encuentran imaginando a dos efectivos de la ley y el orden publico detrás de un hombre encuero apenas comenzando el servicio. Coño, qué vaina. Sigue encontrando sus ojos lejos y más allá donde están esos pedazos de pasado que hubiese querido soñar en vez de vivir. Vendió juguetes en principio de algún enero en alguna carpa en este mismo parque. Era un niño y si no eran juguetes eran naranjas o mangos, lo que estuviera de temporada. Con pantalones cortos, las rodillas sucias y lastimadas, llenas de rámpanos y lo peor o lo mejor: se sintió bien sintiéndose pobre. Aquella felicidad del que nada tiene y poco necesita ya sea porque no conoce o no tiene otras necesidades que lo básico. Deseó tener esa edad otra vez. El ruido de la caja del limpiabotas anunciando el cambio de zapato lo devuelve sano y salvo al olor de orines, mierda y basura del parque. Ahí recuerda el jugo de tamarindo más dulce de su vida cuando en otro parque, el Eugenio María de Hostos, su padre lo llevó a ver la Lucha Libre Internacional y la Cuadra Ruda comandada por La Gallina: Relámpago Hernández, le entró a silletazos a Jack Veneno, y no pudo parar de llorar cuando vio sangrar al ídolo de multitudes, quien era el protagonista del deporte que estaba conmoviendo las grandes capitales del mundo y el preferido por los niños. Pérez volaba, su mente se iba. Jefe, son cinco pesos. Pérez le dijo a Rodríguez que le pagara al niño y que le diera propina. Tenía que volver a San Carlos, tenía que ver a los presos y tomar las decisiones de lugar.

*****

Pleno mediodía en Santo Domingo de abril. Llueve pero no moja, llovizna puntual y muy imprudente. Nadie entiende estos fenómenos de la naturaleza del Caribe: amanece lloviendo a mares, luego un sol que traspasa los pensamientos y lo calcina todo. Llueve de nuevo, de una manera ya no desafiante sino como en forma de polvillo que no pide permiso, que se cuela, que amilana los sentimientos, que lentamente forma esa melcocha de dolores pequeños e imperceptibles pero definiti-vamente certeros. La melancolía no es bienvenida pero aparece. Así llega Pérez a San Carlos, dentro del ambiente ya pesado del precinto, con su carga de frustraciones. ¡Mariñez! No he comido, vaya y fabríquese algo, pero era ayer. ¡Sí, mi comandante!

Deja la pistola en el devastado escritorio y se dirige a las celdas de una manera nada peculiar. Revisa los rostros que imploran. Comandante ya tá bueno, no lo vuelvo hacé, se lo juro pol mi madrecita santísima. El pasea los ojos por las paredes y el piso de la inmundicia, se le eriza la piel de sólo volver a aquel pensamiento. ¿Si fuese yo quien estuviese rogando salir, quién vendría por mí? Y lo encontró allí en una esquina con una tranquilidad que paralizaba los relojes. ¿Ese es el tipo del parque?, le preguntó a Rodríguez, ¿Y no que estaba encuero? Sí, comando pero le conseguimos unas ropas viejas para que no se quedara así. Tráigalo a la oficina ahora mismo. Sí, mi comandante.

*****

La oficina de Pérez es un dos por dos. El aire acondicionado no opera desde la Semana Santa pasada y su función la ejerce modestamente un ventilador KDK de pedestal colocado a una de las izquierdas de la habitación. El mobiliario lo completan: un escritorio que tuvo mejores días, una silla que sólo aquel que la conoce bien no tiene la desconfianza de verse en el piso en un instante cualquiera. Determinamos por simple lógica espacial de diseñadores de interiores que no hay lugar para asientos de visitantes. El futuro entrevistado, vistiendo una camisa verde oscuro y unos jeans desgastados, se sitúa de manera natural delante del teniente y le suelta a quemarropa la primera pregunta: ¿Qué hago aquí? Dímelo tú, no era yo quien andaba corriendo encuero en la vía pública, respondía Pérez. ¿Pero cuál es el delito que he cometido? Así que también eres ignorante además de estúpido. ¿Quién eres? ¿Cuál es tu nombre? Eso no tiene la menor importancia; no puedo estar detenido, no puedo parar, no puedo parar. ¿Por qué dices eso? Ustedes me han dado techo y no lo necesito, me han albergado y no lo merezco.

Pérez reía de manera sarcástica, se pregun-taba qué tipo de droga se estaba metiendo ese tipo. Una celda no es necesariamente albergue, techo. ¿Qué celda? En la que dormiste y muy pocos quisieran estar. Pensándolo bien, no quiero estar ahí. ¿Por la inmundicia, el mal olor? No, es por el asunto del encierro: yo estoy condenado a vagar, a ser errante. Tu nombre, vamos, dime tu nombre. No importa, ya te dije. Coño, no entiendes que te voy a tener que mandar para el Palacio entonces... dime de tu familia, algún vecino. Vengo de lejos, no tengo a nadie. ¿Cómo? No entiendo; dime de qué ciudad, de cuál provincia vienes. De ninguna ciudad o provincia, sólo de lejos, estoy condenado a la lejanía. ¡Que quién eres coño! Que no soy nadie que te importe y no me subas la voz. ¡La subo como me da la gana, aquí el guardia soy yo carajo!

En ese momento son interrumpidos por Rodríguez y la noticia de que acababa de llegar la patrulla para trasladar a los detenidos al Palacio de la Policía.

Pérez caviló un poco aun pero tomó deci-siones rápidas: Al descuidista y al rompedor ábreles un expediente y que allá los fichen, si no es que están ya en los archivos que es casi seguro. A Margarito déjalo ahí, que yo me las arreglo con él y el asunto del compadre. Al pendejo este vengan a buscarlo en unos minutos, que resuelvan allá con él. Dadas las instrucciones de lugar, Pérez agotaba la paciencia con el tipo y trataba de sacarle alguna información que valiera la pena.

¿Entonces no me vas a decir cómo te llamas? Te mereces saber mi nombre pero no me da la gana de decírtelo. ¿Cómo que me lo merezco? Te lo has ganado sólo por ser tú, por tus ojos, por el olor de tu agonía, siento que te conozco. Déjate de vainas y dime cómo es eso de que te desmayaste al ver el sol. Eso fue esta mañana, fue muy fuerte para mí. Pero si el sol sale todos los días mi hijo. Todos los días son una esperanza orgánica, pendejo. Me dices pendejo de nuevo y te relleno a patadas. Sé que sufres, se te nota, tienes un tormento, pero eres mucho más que eso. ¿Qué soy, león? Un hombre solo y sin consuelo, complicado, pero bueno, y creo que puedo quererte. Pero ven acá… Entraste en mí sin decir nada como yo entro en ti ahora.

Rodríguez entraba ahora, acompañado por dos policías, dejándole saber a Pérez que todo estaba listo. Pérez dio la orden y los policías procedieron a esposar al loco, a empujarlo, a pegarle. Al salir, casi llevado en el aire por los dos energúmenos, el tipo tomó la fuerza de los Mil Vientos de Reversa de los Cien Desiertos de las Dunas de Baní y detuvo el mundo en el vano de la puerta y volviendo la cabeza hacia Pérez le dijo: Mi nombre es Baraka y soy el Hombre Triangulo.

*****

El alcohol actúa en los sentidos cambiando de manera momentánea sabores, olores, colores. Puede transformar la más profunda agonía en una felicidad efímera, plena y desagradable. No importa la marca de la casa licorera, el resultado es una relación causa y efecto. Se bebe por un amor olvidado o por la celebración de un encuentro inmortal entre dos seres. Se toma por un hijo muerto, por la bendición del nacimiento de una nueva luz. Se bebe para engañar la conciencia y así olvidar. Se toma por el recuerdo latente y la promesa hecha en el momento de la despedida. Se bebe en privado, en la intimidad de las habitaciones o en balcones modernos, se toma por egocéntrica monotonía y el resguardo de nuestros hondos sucios y bellos recuerdos. Se tome o se beba el efecto es el mismo, lo único diferente es la manera en que actúe el lenguaje corporal. Muchos son los que antes del punto de intoxicación, vomitan, ya que el cuerpo logra accionar sus sensores de máquina perfecta. Al vomitar (el vómito puede perfectamente ser voluntario o terrible y oportunamente inducido por nuestros amigos que no tienen vergüenza de meternos el dedo en la boca hasta la garganta y luego con la mano limpia acariciarnos la cabeza y decirnos: ya pasó) sale del cuerpo el cúmulo de líquidos, bilis y sólidos ingeridos en un espacio de hasta cuatro horas antes. Pero el alivio es momentáneo ya que en la sangre queda el alcohol que al ser llevado a la cabeza por los miles de conductos sanguíneos, produce un aturdimiento natural, somnolencia, torpeza locomotora y estupidez verbal.

Otros sujetos, acostumbrados ya a los efectos del producto, sufren una serie de cambios en su estado de ánimo. Estos cambios son bruscos y de 360 grados: fuerza sobrehumana, aumento de la autoestima, coordinación de pasos de baile que en tiempos o circunstancias sobrias serían imposibles y sobre todo una facultad y filosofía de la vida ridícula, indecente.

En Pérez el alcohol actúa de manera pasiva. Cuando salió de la academia sintió el simple pero fuerte deseo de matarse. Pegarse un tiro en la sien con la propia nueve milímetros. Ironías de la vida. El alcohol le pasaba por encima. Su sangre se había bienacostumbrado al preciado líquido. Un hombre acosado por la inmadurez y la falta de esperanza sólo puede desarrollarse dentro de dos aspectos de su vida: el cuartel, donde él es el que manda o en la pensión donde mal duerme intoxicado y tranquilo. Con pistola y todo, sólo ha protagonizado un pleito y a él fue que le pegaron. Nunca abusaba, nunca agredía a pesar de ser policía. Era un civil en ropa de militar, un hombre atormentado.

Esa noche llegó a su cuartucho a eso de las dos, se sintió desesperado al no sentir la bolsa que traía consigo. Sonrió como un estúpido cuando la encontró a sus pies, serena y dispuesta. Una bolsa con todo lo necesario para poder pasar a través de la noche: Ron Palo Viejo, hielo, soda. Así se mantiene a la noche tranquila. En ese estado se dominan y controlan los demonios. Se comparte con ellos. Trago a trago, pensó en sus ojos, su agonía, ese hombre, ese hombre tan desnudo, tan bien formado, tan limpio para ser un vagabundo, Baraka, se llama Baraka, dizque el Hombre Triángulo. La noche, a medida que el ron va pasando deja de ser una cosa oscura y babosa. Una noche más para dormir en paz, una sonrisa idiota, quizás hasta pueda hacerme una maldita paja, perra, maldita, hoy sí, quizás sí, Baraka no, una paja sí, el Triángulo no, la Rotunda, Rotunda, sí... No.

******

El Cementerio no es quizás el nombre ideal para un bar o un lugar de sano esparcimiento. Pero esto no es un bar. Es una cuerería en el término exacto de la palabra. Uno viene y encuentra las caricias indiscretas, las miradas y tragos y como dice la canción uno hace su papel, le sacan el jugo, paga y se va. El establecimiento está ubicado a una esquina del cementerio de verdad, en la avenida Máximo Gómez, ahí donde reposa la muerte.

Nada de grandes letreros o especificaciones. El que ahí llega es porque conoce o alguien lo lleva. Está al final de lo que de día es un taller de desabolladura y pintura. La pintura del local en cuestión deja mucho que desear. La puerta está abierta y un estante con botellas se improvisa en lo que sería la sala de una casa como tal. Después de la cortina de lagrimitas de plástico están los muebles vueltos una mierda de viejos y que ya no dan más: es sencillo, te sientas y el culo te queda de una manera que puedes tocar tu barbilla con las rodillas. Arriba, un televisor de catorce pulgadas repitiendo Primer Impacto Edición Nocturna. Más allá del baño, en el patio sucio de noche oscura, están las habitaciones de las niñas, los depósitos de placer frustrado con aliento a ron y tabaco. Una edificación hecha de manera rápida y sin empañetar, pintada tímidamente de un azul barato hace ya bastantes navidades. Pérez es una ficha conocida en el lugar. Hasta consigue que el chulo principal le consiga su mafú y su cara de gato.

Todas las niñas lo quieren, todas lo adoran, lo besan, pero sólo Rotunda se queda con él, lo conoce, lo motiva. Rotunda tiene mil razones para llamarse Rotunda: nunca nadie ha visto unas nalgas tan grandes y tan bien formadas y lo que me vuelve loco Rotunda son tus vellos de hombre que nunca te me afeites las piernas Rotunda nunca te me afeites tus bigotitos naturales y tu voz ronca ronquísima desde el fondo más fondo de mis silencios Rotunda tu voz.

Rotunda conoce todo lo que pasa en el destacamento de San Carlos más que el mismo jefe de la policía. Hay cosas que sencillamente no van a caber nunca en un reporte policial: los favores, las torturas, las desconsideraciones, los abusos, el dinero por debajo del escritorio, maletines que van y vienen, droga que se desaparece. Pérez desembocaba en esa suerte de confesionario del infierno. Desahogaba días de trabajo y noches de necesidades que tiene cualquier hombre con veintiocho años en la etapa de sexualidad activa. ¿Y tú porqué estás tan callado hoy?, preguntaba Rotunda mientras empezaba a desnudarlo como un niño. Pérez respondía dejándose hacer: No sé, fue un día difícil. ¿Qué pasó? Insisto, te veo raro. Rotunda es mujer y las mujeres tienen un instinto animal que les permite adivinar hasta en lo más hondo y ponen donde no hay, y uno termina diciéndoles todo porque los hombres han sido así desde el principio y así serán por los misterios inescrutables de los astros.

Todo fue así desde la madre que los ha parido hasta la desnudez que se encuentra en las noches si se tiene mujer y si no se tiene mujer fija entonces será en la desnudez que se encuentra en los moteles en los bares debajo de los ceniceros en los centros cerveceros en las imágenes fluctuantes de los cueros de la Feria o el Malecón o de la Duarte depende de los pesos que se tengan. Fíjate que un tipo me estuvo diciendo disparates en el destacamento: lo agarraron cuando estaba corriendo encuero en el parque Enriquillo... no estaba descuidado, ni sucio, no tenía cicatrices, su piel estaba nítida, suave. ¿Lo tocaste? No, así se veía. Rotunda ahora llevaba al Pérez desnudo hasta el baño y con movimientos mecánicos le lavaba el ripio con jabón de cuaba y agua fría. Yo una vez vi a un muchacho encuero caminando por El Conde como si nada. Sí, pero éste hablaba cosas raras, Rotunda, aunque coherentes en un sentido. Hay que tenerle paciencia a la pobre Rotunda. En años de profesión ella ha visto desfilar en diferentes camas a hombres con todo tipo de historias y esta no es una historia asombrosa o distinta. Además ella sólo escucha, no es una sicoanalista ni nada por el estilo. ¿Serán putas los sicoanalistas de verdad? ¿Son las putas las sicoanalistas en verdad? Cuando los hombres salen a buscar cueros y quieren hablar ellas no dicen: Anda ligero papi que no me has pagado para escuchar. Pérez entraba en el suspenso: El tipo decía que estaba condenado a algo, no sé, a la lejanía. Rotunda terminaba secando el miembro con una toalla vieja, le estaba como interesando la historia. ¿Nada de amigos o familiares, que sé yo...? No, lo mandé para el Palacio. La mujer susurró un: Coño, eso si está fuerte. Fuerte está esto: dijo que me quería, que yo era bueno, y que se llamaba el Hombre Triángulo, decía Pérez, esperando que por favor se le parara, con un condón en la mano.

*****

Es inevitable, en Santo Domingo sigue lloviendo. Aunque llueva y la ciudad quiera secarse y volver a tomar su ritmo normal y acelerado, vuelve la llovizna pesada e incómoda y como al mediodía viene un sol acabado de hacer, y sigue lloviznando y se produce ese fenómeno científico denominado por los niños como El Casamiento de las Brujas: Que llueva que llueva la virgen de la cueva los pajaritos cantan arroz con habichuelas si no te quieres ir acuéstate a dormir, y se forma una humedad del carajo y un calor que hace que las axilas se conviertan en la parte más indeseable de tu cuerpo y que al cuerpo se te pegue la ropa y no puedes estar en ningún lugar porque no hay brisa. Es como si hubiesen cercado la isla y no entre ni salga aire y las oficinas se convierten en lugares insoportables y son cerradas escuelas y colegios y los niños inevitable-mente entran del recreo y deben interrumpir sus juegos, y ahora me toca a mí que pase la señorita cuidado con la de atrás que tiene las orejitas igual que un alcatraz saqui sá saqui trá la de atrás se quedará comiendo batata asá saqui sá saqui sá saqui sá… Es abril, qué se le va hacer. Aquí estamos varados en esta media isla y condenados al Caribe, destinados a hacernos preguntas. A Pérez no se le sale Baraka de la mente y esta actitud meterológica de la ciudad lo ha puesto más pensativo y más curioso, hasta sentimental. ¡Mariñez, venga acá! Averigüe que ha sido de la gente que mandamos para Palacio, especialmente el tipo ese, el tal Baraka. Y consígame una taza de café. ¡Pero era ayer, bestia! Llame, averigüe, indague, mientras yo salgo por esta ventana con estas dos manitas que dios me dio y me pongo a bañarme en el maldito aguacero que no acaba de caer como cuando era niño y feliz aún y a correr, correr como loco pero mucho cuidado con meterse debajo de los árboles por eso de los rayos y las tormentas y me voy a casa, mientras mami me pelea porque muchacho quítate esa ropa mojada que te va a dar una gripe que digo yo gripe una pulmonía muchacho del demonio, y después soy yo la que me embromo y deja de hacer mojadero en la sala muchachito hazme el grandísimo favor de irte para el patio si no quieres que…

*****

Mucho se ha escrito acerca del olvido, de esa región interna que mantiene o procura mantener en un espacio ciertos temores, amores, dolores, etc. El olvido como materia de estudio. El olvido como tema de conversación. El olvido como deporte o profesión. Se asegura que junto con la soledad, el odio y el rencor, el olvido está considerado como uno de los sentimientos más volubles e inmanejables. No podemos elegir qué o quién olvidar. No podemos aferrarnos al olvido como esperanza ya que aunque suene ilógico el olvido es parte fundamental de la memoria. Episodios pasados que vuelven, ironías que se repiten en distintas formas o tamaños, vuelven aunque hayamos decidido echarlos al olvido.

Sin temor a equivocarnos pero con temor de echar leña al fuego o llover sobre mojado, afirmamos que el olvido tiene la facultad de tomar ciertas y muy variadas formas. Con esto no hablamos del olvido como excusa (De alguna manera tendré que olvidarte. Aute) o del olvido como sentencia delicada (He prometido, que te iba a olvidar. Leo Dan) o del olvido como reproche indirecto y muestra de desprecio (Forget me, don't worry about me. Frank Sinatra) del olvido como medio de transporte (La nave del olvido. José José) del olvido como confesión inescrutable y desgarradora (No sé olvidar. Andrés Calamaro) o del olvido como proyecto habitacional (Donde habita el olvido. Joaquín Sabina.) Sin temor a perder el hilo pero sí la coherencia hablamos del olvido como institución, como edificación:

Arena
Bloques
Ladrillos
Tuberías
Varillas
Cemento
Madera
Hierro
Hormigón
Agua
Cables
Alambres
Hilos
Bombillas

Cristales

Hombres

Tierra

Acero

Convertidos en alas de un edificio que se divide en cientos de habitaciones, unos cuantos pabellones, baños comunes, privados, dos comedores, patio general y salón de esparcimiento. Con el tiempo convertidos en celdas comunes y celdas privadas, celdas de aislamiento, baños comunes y sucios, un sólo comedor, patio de control y salón de hacinamiento. Todo esto construido por algún Excelentísimo Señor Presidente de la República que creía en el olvido como forma de edificación y construcción además de método de tortura, control y presión sicológica, y ni aun así él es objeto de olvido. Dueño de un país que no tiene mala memoria, como muchos han querido afirmar. Lo que pasa con la patria, es que tiene una puta memoria selectiva, podrida, descarada, abusiva. Un país entero esperando que se muera para llorarlo, para enterrarlo y otro grupo esperándolo para sentenciarlo al olvido. En este país hay mucha sangre pendiente, pero qué se le va hacer, así nos educaron, eso es lo que nos dan de comer.

Por este motivo, y partiendo de este humilde enunciado, afirmamos que cárceles, reformatorios, palacios, conventos, seminarios, escuelas militares, internados, etc., son edificaciones del olvido, donde por sobre muchos sentimientos este prevalece y se hace fuerte, se intenta y se recrea. Qué fuerte fuese el olvido si no fuéramos tan tercos y dejáramos de recordar. La edificación en cuestión es un sanatorio que por sus condiciones físicas se puede determinar que fue construido hace mucho tiempo atrás como algún Centro de Rehabilitación Mental. Ahora es sólo un manicomio, una jaula de locos amontonados de cualquier modo sin orden ni régimen. Una fiesta macabra de inadaptados, hambrientos, piojosos, sucios. Esa realidad espeluznante que queremos olvidar con series y miniseries de televisión por cable, bares y restaurantes miamiwannabes y desfiles y desfiles de modas organizados por primeras damas que necesariamente no son damas de primera. Un lugar soportable sólo por ciertas manos que nunca se han olvidado de dar y servir sin esperar nada a cambio.

Hace más de un año que Matilde cruzó el umbral de estas puertas de mano de su madre Doña Aurelina. Pero llegó sola, sin lo único que tenía en la vida: el segundo ser masculino de importancia en su existencia. Sola, con la mirada perdida lejos. El bulto azul de tela impermeable contenía lo básico para sobrevivir en materia de vestimentas, por lo menos una semana, además del cepillo de dientes, dos barras de jabón de cuaba, una medallita de Nuestra Señora la Virgen de Altagracia y una imagen en miniatura de San Miguel Arcángel, santo al cual ella estuviera encargada. El santo que estaba supuesto a protegerla, seguirla, cuidarla. Aunque está comprobado que los santos no son perfectos y que como todo el mundo, cometen errores y se toman sus días libres.

El día en que José Abel de los Santos, dominicano, de 34 años de edad, domiciliado en Tenares y propietario de un Yamaha 100, salió de su casa, no iba pensando en grandes tragedias o conflictos. Su mente estaba ocupada en el asunto de un gallo de pelea que debía preparar para el domingo, pero nada era tan grave ya que tenía varios días por delante, apenas era lunes. El lunes de la segunda semana de escuela de un niño de tres añitos y que por buena o mala suerte tenía los mismos ojos del padre. Cierto es que los ojos son una parte importante del cuerpo, nos permiten distinguir lo básico: colores, el día de la noche, percepciones de lo feo o lo hermoso. Pero no son tan poderosos, porque cosas profundas como los sentimientos internos o los grandes amores, sólo por mencionar dos, son imperceptibles al sentido de la vista. La importancia general de los ojos radica en cómo pueden descubrir a un individuo y cómo pueden tener tanta fuerza para que se conviertan en el rasgo principal de un ser humano por encima de todos los demás sentidos o componentes del cuerpo. Nunca oiremos a nadie decir: Mira qué bellas orejas tiene ese niño, igualitas a las del papá. El niño en cuestión, sacó todo de la madre: la boca fina y discreta, el pelo delicioso, la esbeltez natural de generaciones. Todo se vino a joder cuando el niño fue bendecido con los ojos del padre. Tenía las pestañas pintadas de un negro eterno envidiable, las cejas arqueadas de manera violenta, adecuada y constante y cuando va por la calle le dicen las mujeres: Mírale los ojos que lindos los tiene. ¡Ese tiene que ser segurito hijo de Pérez! Sí, los mismos ojos y esa mirada profunda que inspira presencia y a la misma vez una compasión de años y un solo dolor acumulado con recargos de conciencia.

Es la segunda semana de escuela con meriendas de batata y jugo de limón dentro de la mochila con dos cuadernos, para un niño que no sabe escribir. El niño y Matilde de la mano, uno para el otro, porque el destino te da una clave, te guiña un ojo y sabes de manera trágica que las cosas siempre van a ser así. Matilde sola con el niño, siempre sola con su muchachito, incluso tan sola desde ese momento en que Pérez estaba tan encima de ella como nadie nunca había estado. Tan encima de mí desde los siglos de los siglos y lo único que puedo decirte mi Pedro adorado mío es que ahora es que te quiero, quiero el peso de tu cuerpo para siempre dentro de mí, mi Pedro, mi pedritín, mi único moreno. Cállate que nos van a oír. ¡Bien se lo dije yo a esa pendeja que se buscara un hombre que sirviera, que los militares son unos comecomía y no sirven ni para echárselos a los perros, coge ahí buena pendeja! Ay, mi Pedro, yo no te decía cuánto te quería por la vergüenza de mis años y mi inexperiencia de campesina pero te lo demuestro ahora en esta cama tan pequeña que sólo podemos estar uno encima del otro y a escondidas de todo el mundo mi pedritín, que te amo y que por ti no voy a tener uno sino todos los hijos del mundo porque contigo se llama a la felicidad y tú me vas a llevar a la capital. Cállate que no me puedo concentrar, cállate coño. ¡Cógelo ahí, ahora tá preñá y el otro ni aparece, pero eso sí coño que donde yo lo vea…! Y allá voy hacer un curso de Belleza y otro de Corte y Confección y otro de Mecanografía y Taquigrafía, todos en la Asociación Cristiana de Jóvenes. Tú eres el único hombre en mi vida de verdad y ese niño tendrá tus ojos porque te amo y cada vez que lo vea te veré y ese será mi premio, mi Pedro… Ahora cruzo la calle con este fruto tan tuyo y mío que tiene tres añitos y dice papá aunque no estás y ahora es que viene la motocicleta y todo ocurrió en unos tres, cuatro segundos.

Cuatro, cinco segundos entre dos señoras que gritaban: ¡Padre Amado! ¡Cristo Padre! Mientras el propietario del motor se levantaba ileso y emprendía la huida y entre lo que Matilde, con el antebrazo seccionado en tres partes, una incisión profunda y sangrante en la sección femoral y la parte superior derecha del rostro destruida, buscaba entre la sangre que la cegaba al fruto de tu vientre Pérez que era levantado por dos jóvenes que después la levantaron a ella y la tiraron en la cama de una camioneta y aquí estoy sola con mi hijo como la vez primera que lo vi en este mundo al que lo traje sola, la única diferencia es que aquel día, él estaba bañado de sangre; hoy además, está bañado de muerte.

*****

La paciencia de Pérez se agotaba en la puerta del baño del bar. Tenía rato esperando y adentro sólo se escuchaba un ruido inhalador. Cuando la puerta por fin se abrió se encontró de frente con Baraka, quién se estaba dando un pase. Comandante, qué lo trae por aquí, decía Baraka visiblemente alterado. Pérez no lo había vuelto a ver desde aquel día en el destacamento. En el palacio no lo retuvieron, lo dejaron libre después de un par de horas. A los bares se viene a beber, como la gente decente, con permiso, le dijo Pérez que se meaba. Baraka lo dejó pasar y se dirigió a la barra, pidió un pote de cara de gato y dos vasos con hielo. Esperó. Pérez regresó secándose las manos de los pantalones. Baraka lo invitó a tomar asiento, él lo pensó por un minuto, luego aceptó. ¿Viene seguido aquí? Pérez respondió que no, que sólo estaba haciendo horas para irse a otro lugar. La realidad era que ese bar para Pérez era una porquería, siempre estaba lleno de maricones, aunque la música era buena, los tragos eran baratos... esas eran buenas excusas para sentarse un rato de vez en vez en Parada 77, el bar donde hasta el diablo bota la ropa después de las tres de la mañana.

A la media noche, tragos, cigarrillos y pases después, los dos hombres sonreían y se contaban historias. A Pérez el perico no le hacía bien y estaba a un trago de sentirse horrible, y preguntó: Explícame la vaina esa de lo del Triángulo y toda la demás mierda. Una cosa es estar condenado a la lejanía y otra a la soledad; hay soledades que son simplemente inaguantables, le dijo Baraka mientras lo miraba a los ojos y le tomaba una mano. No estás bien, tienes una pena muy honda, como una espinita en el dedo gordo del corazón, continuó. Es una mujer, respondió Pérez sin poder sostener la mirada. Baraka le buscaba los ojos: Una mujer, entiendo, ella sembró en ti, te mostró caminos antes no recorridos; todo el camino fue así, Fuego 90: llega una muchacha y te empieza abrir los sentimientos como si fueran paquetes o regalos y el asunto se extiende definitivamente porque no los abre en un sólo momento... se toma su tiempo, distribuye el cariño con una inteligencia parsimoniosa y esa parsimonia es la que produce los espacios que van desde la adoración casi religiosa al deseo animal e incontenible y de ahí nacen ciertos odios cortos, pero determinantes y esos espacios se convierten en un ciclo, empieza uno se acaba el otro empieza uno se acaba, no se detienen. Para que Baraka le soltara la mano, Pérez apuró un trago largo y encendió un cigarrillo, pensó: Mierda, un tecato sicólogo y científico. Luego habló: Bueno, no puedo decir que la quise, así en tiempo pasado, ella sólo viene y va, y eso me desespera porque viene a mí en ciertas noches y me acusa de que ella está así por mi culpa y lo peor es que ella tiene razón. Otras noches viene y pongo mi cabeza entre sus piernas y nos recostamos debajo de todos los árboles y ella comienza a pasar su mano por mi cabeza como antes y duramos horas prometiéndonos boberías y pequeños disparates y siendo felices ahí en medio de la nada absoluta y absurda. Viene a veces en ciertas tardes y me hace el amor como sólo contigo lo hice Matilde por los siglos de los siglos de los siglos y me demuestra esa clase de desnudez con ciertos olores puntuales y ese cuerpecito frágil y sólido mi Matilde, mi Matilde, así te digo y sigues con tu amor silencioso e inexperto pero lleno de seguridad y una definición sin barreras o dudas o a veces viene en algunas mañanas tan llena de alegrías y miedos, susurrán-dome que sí, que ha sido bendecida con el fruto de tu vientre Matilde, un estado de dulce espera, llora de felicidad cuando me dice que anoche ha confirmado su temor y que sí, que va a tomar la primera guagua para la capital para compartir su alegría conmigo y yo confundido que qué hago, yo no puedo manejar una situación como esta, no estoy preparado y aunque no se lo digo ella nota mi frustración y mis nervios cuando le propongo una solución, una salida, y me dice que no, que ni loca, que cómo va a sacar de adentro de ella algo que con tanto amor y dolor ha sido colocado ahí. No carajo, si sale de mí será a su tiempo y como debe ser. Y yo me recrimino en silencio otra vez, porque es verdad, cómo propone uno algo semejante, que aunque existan mil maneras de hacerlo no debería haber ninguna, porque hágase como se haga, tú sabes, la muchacha está en su cuarto sola y la mamá le pregunta: ¿Qué tú tienes, mi hija? Y ella que nada, y no come y todo le huele y todo le hiede y ese dolorcito y esa náusea constante y esa preocupación y ya no puede más y el tipo llama y pregunta que si ya y ella le cierra el teléfono a ese inconsciente, bruto, y la muchacha quiere arrepentirse de muchas cosas o casi de todas y la náusea de nuevo y el dolorcito y le pregunta a Dios, pero él no está, nunca estuvo, o sí estuvo pero da lo mismo. Cuando dos o más se reúnan en mi nombre ahí estaré. El dolor, el dolorcito de alguien agarrado a tus partes pudendas internas, a tus trompas de Falopio con letra mayúscula, a tu útero, alguien agarrado con fuerza a tus partes de mujer, que no quiere salir, pero ya es tarde, porque te bebiste la pastilla y la malta morena tibia, esta tarde y ya es muy tarde.

*****

Baraka regresó del baño y encontró a Pérez al borde de una lágrima. Se propuso empujar más la situación, ver hasta dónde llegaba la cuerda: Y si tanto la quieres, ¿porqué no estás con ella? Pérez se llevó ambas manos a la cara por un momento. Baraka esperaba en un silencio cabrón que perduraba y el bar hervía pasada la medianoche. La mirada del

Triángulo se perdió por las paredes garabateadas con recuerdos de tinta china, entre los culos que se movían y las bocas que empezaban a buscar cosas en cuellos y en orejas y en ojos que adivinaban pingas inmensas que se paraban frente a las pestañas falsas de sentimientos verdaderos de hombre deseando hombre, carne, sudor, agua dulce. Cuando completó el circulo encontró la cara del teniente partida en dos por una lágrima. Está en el manicomio, respondió Pérez, atorándose con el humo de un cigarrillo. Sácala de ahí, ella estará mejor en cualquier otro lugar que no sea ese: estaría mejor contigo, insistió Baraka. Pérez hubiese querido darle la razón a Baraka. ¿Cuántas veces no pensó en eso? ¿En sacarla? Pero eso sería revivir dolores, desempolvar recuerdos, volver a llorar esas lágrimas. No, él no tendría valor para tanto. Esos recuerdos, recuerdos… No sólo es el recuerdo de Matilde, que ya te expliqué que viene y va, continuó Pérez. A veces son sueños, pesadillas: estoy sentado en la gran silla del abuelo y de repente viene y se sienta a mi lado, me da un plato de comida y me cuestiona, que cómo va todo y no le respondo, sólo escucho. Entonces comienza a explicarme que no puede volver, porque en el mundo de los vivos ya no le queda nada pendiente y no puedo hablar porque estoy como mudo mientras él me confirma que puede que esta sea la última vez que nos veamos y yo desesperado por pedirle perdón por haberlo dejado morir, desesperado por gritarle que lo quería por haber heredado su cara, su temperamento y esta manía loca de fumar pero no puedo hablar, tengo la lengua trabada. Y en lo de las despedidas, llega la abuela y le toca la cara con barba de una semana y lo mira a los ojos y le dice: Mi muchacho, mi pajarito tan flaco, se me va mi muchacho. Y él toma un cigarro de los míos y lo enciende y la abraza, sus manos acariciando esas canas fieles y Doña Ana derramando sendas lágrimas y sonriendo tímidamente y al lado de ese festival de amor estoy yo que quiero pararme y abrazarlos y unirme a esa felicidad que me dio vida pero tengo las manos atadas a la silla del abuelo y no me puedo mover y luego viene esa tristeza y ese llanto y empiezo a llorar por ojos boca nariz ese llanto ahogado y la falta de aire y estoy mudo, inmóvil, ahogándome, me despierto entonces con la boca seca y el sentimiento vacío con un pedazo de pecado enganchado al corazón y con un hilo de baba a un costado de la boca… o a veces sueño con el niño, al que veo y siento muy cerca. Me siento resignado a saber que él tiene todo el derecho de odiarme con la fuerza de sus añitos y cuando estoy ahí, esperando su odiosa reacción, me sonríe y me toma de las manos y me llama papá y me llena de vergüenza saber que no me guarda rencor porque es un ángel, bellísimo, purísimo, y jugamos a veces en la arena, a veces en el monte y vamos a caballo en el mismo medio de la sabana y recogemos los aguacates y las guayabas y cuando me empiezo a sentir dichoso viene una sombra entera y me lo cubre a mi hijo y no puedo verlo sólo escucho su vocecita gritando en medio de tanta oscuridad, papá, papá. Ya despierto, recuerdo cada detalle de su muerte, la llamada apresurada de los vecinos de Matilde, la sorpresa de la mala noticia, la esperanza de que fuese un error o un sueño terrible. Pero al llegar al pueblo y ver esa pequeña caja en medio de la pobre vivienda, sentí un golpe justo allá donde se reúne toda mi culpa. No derramé una sola lágrima durante el proceso, sólo sentí una pena extraña, como una conmoción que me dejaba sentir que estaba vivo pero nada más, nada de frío, calor, nada. Los vecinos y las comadres me catalogaron de insensible, que cómo va a ser, mira eso, su propio hijo muerto, en un ataúd y ni siquiera una lágrima ni nada. Yo mismo me cuestiono de todos y cada uno de mis sentimientos, mis nervios, las áreas más sensibles y dentro de la guagua de vuelta a la capital comienzo a llorar, un llanto desesperado, un llanto entrecortado como si me ahogara y las lágrimas saliendo como una descarga de tanta insensibilidad, de impotencia, un llanto incalculable y la señora a mi lado me da una servilleta y no cometió la imprudencia de preguntar qué me pasaba y si me hubiese preguntado no hubiese sabido responder porque cómo le explico señora, que debí visitarlo más, que debí haber estado ahí cuando dijo papá, que yo lo maté mucho antes de que muriera, cómo le puedo transmitir a usted esta vergüenza, de que ya no hay tiempo, cómo le explico esta pérdida, señora, cómo le explico que ahora tengo que enfrentar el círculo del día a día con otro amor menos.

*****

Ya estaban borrachos. La última vez que Pérez fue al baño iba agarrándose de las paredes y no había parado de llorar. El ron se acabó y pasaron a cerveza. El trago frío hizo que Pérez se sintiera momentáneamente mejor, a Baraka le dio náuseas, pero se aguantó: Tienes esa clase de sueños porque vives en una amargura del pasado, tienes que empezar a vivir, aquí, ahora, vive. Pérez trataba de encender un cigarrillo pero el encendedor no daba. Una loca pasó, le piropeó los ojos y le dio fuego. Pérez no pudo decir nada y se explotó de la risa. Baraka también reía y le preguntó: Entonces, ¿qué pretendes hacer, pendejo? La intensidad de la risa de Pérez disminuyó, se limpió la nariz con las manos y chupó el cigarrillo; escupió el humo y las palabras definitivas: Hay que acabar, con esto; darme un tiro, en la sien o en la boca, un balazo con la nueve milímetros que me dieron cuando me gradué de oficial. ¿Irónico, no?

*****

Eres un absurdo. Si no tienes el valor para vivir mucho menos vas a tener valor para coger una pistola y darte un tiro, por favor. Aunque Baraka hablaba ahora en un tono más serio, Pérez sonreía sarcástico: Para darme un tiro sólo necesito estar borracho, algo de música y buscar durante la noche ese momento adecuado y al amanecer, me despierto resacado, en otro lugar y sin acordarme de nada, la única diferencia es que ahora será de verdad, estaré en otro espacio, en el maldito infierno, muerto. Baraka bajaba la cabeza y susurraba: Hipócrita, inmaduro, estúpido. Pérez lo escuchó y le reclamó: ¿Quién coño eres tú para juzgarme? Tú eres como todo el mundo, que critica y critica. Dime de ti, quién eres tú. Si tú sabes tanto, cómo fue que viniste a terminar entre tanta mierda, con tanto maricón alrededor, maldito tecato, crakero de mierda. Tanta palabra bonita y tanta vaina pendejo maricón de mierda coño. Dame una razón para que tú no estés errado y yo sí, dime porqué tú me señalas, coño. Habla, te escucho coño mamaguevo maldito maricón coño.

Baraka tenía miedo. Pérez se había colocado la pistola en la parte delantera del pantalón y lo agarraba con fuerza por un brazo. Pero temía también de sus propios recuerdos, temía desempolvar los baúles. Ahora iba a entrar en una confesión humilde y sencilla: A veces quiero volver, regresar, los extraño tanto. Al principio estaba bien, eso de viajar y la lejanía y la bohemia… ahora todo es una frustración. No extraño cosas concretas, como gente o materias, lo que extraño son los olores, por ejemplo, algún aroma dulce y cálido que me levanta y me transforma y vuelvo a ser aquel hombre atormentado por el deseo, a veces son sonidos que me despiertan y me ponen los pies en la tierra y son punzadas, ciertos olores y esos dolores son los que me recuerdan que estoy vivo, que sigo vivo. Pero esos recuerdos no son algo fijo, sino como un soplo de viento, algo recurrente, que de momento viene y tú por naturaleza no lo esperas.

La tensión en Pérez iba diminuyendo, ahora quería escuchar, quería encontrar una pena igual a la suya. Baraka seguía y de vez en vez se trancaba con un ahogo de humor: No quiero volver al sistema pero quisiera tocar la tierra con la mano derecha y con la otra recoger la arena confundida entre conchas y sal. No quiero volver al chisme perfumado pero extraño el calor de las cinco de la tarde y las hojas de los árboles descansando en la grama verde, o la calle de adoquines puestos de cualquier modo, la fruta madura a la mano, el agua fría del río que acabamos de descubrir, algún beso tímido, prohibido, nocturno. Aquella mirada de complicidad, o el simple e indescifrable ruido que hace la luna por encima de la plaza cuando dice estoy aquí.

En este punto de la conversación ya Baraka estaba expuesto. No importa de donde haya venido, era un ser sensible, apasionado y con una gran capacidad de sufrimiento. De alguna manera Pérez recibía toda esa fuerza y esa sensibilidad y estaba clavado en el bar. Baraka en su silla, estaba hecho un desastre. El Hombre Triángulo, el que desafiaba, el que parecía tener hasta hace poco el control, ahora es sólo un hombre que teme, que llora, que recuerda, que se quema por dentro sintiendo que tiene a un hermoso ser delante de él y no puede tocarlo. Baraka, es ahora una confusión que necesita un abrazo, una caricia, encontrarse de frente con esos ojos marrones y envolverse en la crespura de ese pelo negro, ser levantado hasta la eternidad por esos brazos morenos, ser bendecido por esas manos grandes y duras, quedarse con él, en él. Pero nadie iba a entender eso, nadie nunca ha entendido. Por esa sencilla ley del no entendimiento es que andamos por ahí, nosotros, los seres normales, de vez en cuando como locos detrás de un sueño.

Pérez veía al Hombre Triángulo sufrir y era como mirarse en un espejo. Así mismo estoy yo por este mundo, vagando, dando asco por esta gran casa, nunca llegaremos lejos, ahora estamos librando la guerra, otra guerra, entre nosotros, la grasa come grasa, luego se convierte en viscosidad, masa, hedor, putrefacción, después, el golpe: sé que después del

Gran Golpe no podré moverme, pero ya no tengo miedo, pensó.

Se acercó a Baraka con más miedo que vergüenza, primero le tocó el hombro. El Hombre Triángulo trató de alejarse, Pérez lo acercó a su pecho y lo abrazó, se abrazó a sí mismo. Hay momentos en que los hombres sin importar las distancias cruzan fronteras llenos de un espíritu indomable. Los hombres son capaces de hacer eso sólo cuando creen en sí mismos o llegan a sentir su propia miseria en cada músculo, en cada hueso, cada hebra de cabello. Por eso lo abrazó. Baraka reprimía un sollozo milenario que buscaba el momento exacto para explotar, porque no importaba nada, ya a Pérez se le había olvidado el porqué mataba el tiempo en el bar. Baraka se había acordado de que tenía un sentimiento vivísimo y coleando dentro de él; cuando creía que estaba muerto, eso latía, esperaba. Se abrazaron. Pérez tenía razón al decir que aquella piel era suave, pero ahora todo era diferente, ahora estaba sintiendo esa piel, que vibraba bajo sus manos. Un abrazo fuerte, una mejilla, un cruce de caras, un roce muy ligero, casi imperceptible, después: el beso.

*****

Ese no era el primer hombre que había besado a Pérez: Fue aquel hombre alto, de pelo lacio. Su color de piel era tan oscuro que contrastaba formidablemente con el blanco de sus dientes, sus ojos. Estaba casado con una de las amigas de mi madre y vivía en la misma calle. Tenía una hija preciosísima, con el pelo largísimo y las manos huesudas. Los muchachos le decían la viejita porque era muy flaca y usaba gafas. Ese señor iba a la casa de mi madre a tomar tragos y oír música los domingos. Cada vez que venía yo quería llorar, me asustaba a morir, porque sabía lo que iba a pasar. Todo empezaba cuando llegaba con una funda negra llena de cervezas y esa maldita sonrisa y su hablar rápido y fañoso. ¡A ver esa bim-bolita! ¿Cómo está el pipí del niño? Ah, pero este niño va a tener a todas las mujeres locas en un par de años, mírale la bimbolota, que cabezón. Y me agarraba el ripio delante de mi madre y ella sólo se reía, porque él estaba jugando. Cómo iba a sospechar mi madre, si ese era un hombre hombre, un militar destacado, el esposo de Tati, que todo el mundo sabe que es un mujeriego que vive poniéndole los cuernos a la pobre. ¿Que un sargento del ejército? No, no, que va, ese es un macho, ni hablar.

Ese hombre, aprovechaba que mi madre iba a la cocina o cualquier pretexto para ir a uno de los cuartos de la casa, a veces era en el patio. Me sentaba en sus piernas y hablaba de cualquier cosa, es imposible recordar de qué. Sólo sentía sus manos dentro de mis pantalones cortos, esa mano rápida-mente buscaba el miembro que deseaba esconderse, desaparecer. El corazón me latía y no podía respirar, la otra mano sujetaba mi cintura con fuerza, el miembro de él se iba inflando inevitablemente. La primera mano, tocaba la cabeza del primer miembro que también se inflaba, se ponía duro, con los movi-mientos de arriba-abajo de la primera mano. Por unos instantes él paraba de hablar y jadeaba un poco. Era cuando la primera mano se movía más rápido y la otra apretaba mi cintura más fuerte mientras yo me iba sintiendo asquerosísimo, quería que la tierra me tragara, morirme ahí mismo, pero no, eso ya estaba escrito en el libro del padre allá en los cielos, mucho antes de que yo naciera y como dios sólo está en los lugares cuando dos o más se reúnen en su nombre, él no iba a concederme la gracia de mandarme un rayo que me matara ahí mismo, en las piernas del Maricón.

El momento de silencio terminaba cuando él respiraba fuertemente y todo el aire que desechaba de sus sucios pulmones me llegaba a la nuca. Se paraba, iba al baño a limpiarse y yo me quedaba en medio del patio, debajo del árbol de aguacate esperando a que saliera. Me daba una moneda de cincuenta centavos y me decía que me siguiera portando bien, se arrodillaba y me daba un beso en la boca. Al principio eran sólo los labios, la barba que molestaba, luego fue la lengua que me penetraba hasta la garganta y creía que me iba a ahogar todo ese sabor a cerveza caliente y cigarrillos. Tenía siete años, todo eso duró hasta los diez. Tres años sin poder dormir y odiando los domingos. Mi señora madre nunca entendió por qué yo no iba a las fiestas de cumpleaños, por qué en Navidad o en vacaciones yo añoraba ir al campo con mi familia, por qué yo no jugaba con otros niños y mucho menos con Adelaida, la hija del Monstruo Maricón. Porque tenía vergüenza y sólo quería morirme y durar toda la vida debajo de la máquina de coser de mi abuela, leyéndole los mismos periódicos. Yo mismo no entendía por qué si mis compañeros en la escuela se masturbaban yo no podía hacerlo a los trece años, por qué en vez de aquel placer del cual ellos tanto hablaban yo sólo sentía asco del recuerdo de tocar esa intimidad, solo, en la habitación, en el baño. ¡Coño! Si pajearse debía ser divertido y yo lloraba porque no podía por culpa del Gran Monstruo Maricón. Y aquel día que Michelle me besó en la boca y sentí aquella saliva diferente, me pasé la noche llorando de vergüenza en venganza del Indomable Gran Monstruo Maricón. Sí, tenía trece años y la besé, y debía sentirme orgulloso porque ella dijo que yo besaba como un profesional y no creía que era la primera vez. Y cómo diablos te digo yo que el que me enseñó a besar fue el Violador Indo-mable Gran Monstruo Maricón, con qué cara te lo digo que no me siento orgulloso sino pobre y asqueroso.

Mucha gente odia los domingos, por razones distintas. Yo los odio por la pesadilla del Militar Indomable Gran Monstruo Maricón, al que mataron de una pedrada en una huelga el 24 de abril del 1984. Andaba en una patrulla mixta y fue a comprar cigarrillos sin refuerzos. Dicen los archivos de las declaraciones que el mostrador de la pulpería quedó teñido de sangre, que los manifestantes saquearon el negocio y que él, conciente aún, se había cagado en el mismo momento de la pedrada y lo desnudaron, le hicieron comer su propia mierda y le pegaron con bates, palos, incluso una señora salió de una de las casas y le echo una palangana de agua ardiendo. Dicen que murió casi al final, es decir, que aquellos veinte minutos fueron los peores de su vida. Y como yo no creo en el infierno, entiendo que le tocó Caldera No. 18 aquí en la tierra. Candela Fina. Pienso que me hubiese gustado esta allí, siendo parte de aquella fiesta de ajustes de cuentas y cosas claras, concretas. Te moriste al fin Maldito Militar Violador Indomable Gran Monstruo Maricón, yo y todos los niños a los que tocaste te matamos en aquella manifestación aunque no podamos dormir ni masturbarnos aún ahora que yo también soy militar. Te moriste en una piscina hecha con tu propia sangre y mierda, dos cosas básicas de la máquina humana.

*****

Sangre: tejido-fluido que circula por el sistema vascular de los seres vertebrados. Es bombeado por el corazón. Está cargado de nutrientes y oxígeno. A su paso por el cuerpo, recoge los desperdicios existentes en las venas para ser luego desechados por los canales excretorios.

Sangre: lo que brotaba de la boca de Baraka después de los puñetazos que Pérez le propinó por esa falta de respeto. Coño, qué es eso, un hombre besando a un guardia. El primer golpe le llegó a Baraka con tanta sorpresa como a Pérez el beso. La lluvia de furia que vino después fue incontenible. Machismo en toda la extensión de la palabra. Baraka quedó en el piso del bar hecho trizas. Así también se iba Pérez.

Lágrimas: secreción acuosa de las glándulas lacrimales que continuamente baña la córnea. Ayuda a mantener el área ocular libre de partículas extrañas como polvo o pelo. Mantiene la córnea hidratada, ya que la resequedad en el ojo puede causar ceguera. Dos glándulas lacrimales descansan justo detrás del globo ocular y producto de una fuerte emoción, los músculos alrededor de estas glándulas hacen salir por miles de pequeños conductos el fluido lacrimal, que más que una solución salina, es un líquido que contiene ciertas sustancias que combaten las bacterias y mantienen inmune al ojo de infecciones.

Lágrimas: lo que salía por los ojos de Pérez al salir corriendo del bar mientras una de las locas lo empujaba y le gritaba desde la puerta: ¡Acéptalo, admítelo coño que tú también eres maricón buena mierda, abusador coño! El llanto de la huida. El llanto del miedo de aceptar que alguien en este mundo podría adorarle hasta arriesgarlo todo. Baraka se quedó en el bar llorando, conciente. Pérez se fue llorando, decidido.

*****

Personajes:
Recepcionista
La Doña del Café
San Miguel

Una de las oficinas, pasadas ya las dos de la tarde. Con las luces apagadas se escucha la voz de una mujer hablando en voz alta. Sube el telón y bajo las luces aparece una recepcionista ocupada cuando entra la Doña del Café hablando voz en cuello, escandalosa. Su conversación es acerca de la lotería nacional.

Del Café:...Sí, y en la nacional salió el 21 en primera, yo que ante tenía ese mardito número abonao, nunca lo dejé de jugá.

Recepcionista: Doña, doña, deje el escándalo, que estoy tratando de comunicarme con el Doctor Jáquez.

Del Café: Dicúrpeme señorita. (Se acerca al escritorio) Mire, su cafecito. Pero si er dotor se fue casi ahora mimito, cuar e su afán.

Recepcionista: Es un asunto urgente. Me parece que es con la muchachita de la habitación 201, la bonita, la flaquita.

Del Café: Cuar... la bonitica esa, la muda. ¿Me le pasó argo malo? Ayyyy no pué sé, no no no no, critopadre, ay no me diga una cosa así no no no no.

Recepcionista: No te preocupes, en realidad no sé si es malo o bueno, pero el asunto es que habló.

Del Café: (la bandeja cae al piso) Cómo va sé. Ay diomío (se arrodilla, pone las manos juntas en oración) Gracia San Miguel tú ere tan grande que yo sabía, yo sabía que tú iba a ecuchar. Uté no sabe señorita cuanto yo le rezo a ese santo por esa niña, porque e que yo le he cogío cariño, uté sabe. ¿Qué fue lo que dijo?

Recepcionista: No mucho. A mí también me da mucha pena esa pobre muchachita. Tan bonita, tan delicada. Cosas de la vida. Esa niña parece que no tiene familia. ¿Cómo manda la gente un hijo a un sitio como éste?

Del Café: Yo he vito un muchacho buenmozo que le trae cosa entre semana. Tendrá que sé el hermano o el noviecito, qué sé yo.

Recepcionista: La gente siempre vive inventando cosas, una vez escuché, no sé por boca de quién, de que tenía un marido y que él le daba muchísimos golpes. También de que ella no nació así, que fue un accidente, pero uno no puede andar creyendo en todo lo que le dicen.

Del Café: Pero uté me tiene en deseperación, dígame por fin qué fue lo que dijo.

Recepcionista: Ya le dije doña que no fue mucho, lo que dijo fue algo como: ¡Mi hijo, se me muere mi hijo!

Del Café: ¿Y eso fue tó?

Recepcionista: Eso fue todo

San Miguel: (Tocándose el pecho. Encogiéndose de alas) Mi Matilde, mi pobre Matilde.

*****

No me perdonaré, Pérez, y no me perdonarás porque yo no puede evitarlo. Mis esfuerzos no fueron suficientes. ¿Dónde estarás ahora? Sí sólo hubiese intentado detenerte, pero te dejé ir con toda esa furia y frustración y ahora continúo triste porque te pierdo sin haberte tenido porque sabrá dios a estas horas donde estarás… La geometría de mi vida no me alcanza para rescatarte de esos abismos, mi poesía no te trae de vuelta a este mundo y a este silencio, en la oquedad que ahora me encuentro. Todo comenzó el día en que corriste de mí para alejarte de la luz que podría brindarte, no importa de donde vengo ni quién soy, no importan ni mi desnudez ni mi ambigüedad, no estás y ese es el cielo nublado que me persigue, ojos cerrados cielos azules verdes prados, no nos veremos más. No pagué mi deuda de amor contigo y me voy Pérez, sin despedidas y con las banderas del corazón a media asta, se apresura la retirada con los pies firmes sobre esta tierra de polvo porque ya lo dijo Él: Maldito está el suelo por tu causa, con dolor comerás su producto todos los días de tu vida y espinos y cardos hará crecer para ti, y tendrás que comer la vegetación del campo, con el sudor de tu rostro comerás pan hasta que vuelvas a la tierra porque de ella fuiste tomado y el que dude de estos designios no tiene destino fijo.

El vacío, se ha apoderado de nosotros y las soledades, ahora son sólo sentimientos individuales: Matilde sola entre treintamilparedes, veintinueve-milnovecientasnoventayseis dentro de ella, cuatro de olvido. Yo solo, con mis abriles calcinados y dos baúles, uno lleno de figuras altas, incienso, collares y otro lleno de tus lunares y mis intentos de fuga cardiovaginal y tú solo, debajo de toda esta devastación y cobardía de macharrán y me voy y termino este capítulo.

*****

La camioneta que distribuye a los empleados del turno de cierre y limpieza del restaurante la dejó en la esquina de costumbre. Aunque la obligación del chofer es dejar a cada empleado frente a su casa, a Doña Altagracia hay que dejarla dos cuadras antes ya que es imposible que el conductor maneje el vehículo dentro del estrecho callejón. Uno de los muchachos siempre la acompaña y cuando no hay servicio eléctrico, que es casi siempre, van dos. Esta noche al parecer, no es una excepción, salvo por los acontecimientos que sucederán más adelante. Doña Altagracia se maneja muy bien en la oscuridad de la casucha que casi se cae: Cuándo diosmío voy a poner esos blocks que están en el patio, cuándo. Ojalá sea rápido, porque los tígueres se los están llevando de dos en dos, de tres en cuatro, diosmío.

Lanzaba esa plegaria al cielo, al aire en medio de la miseria, acariciando las ásperas plantas de sus pies, cansados y húmedos del agua que se tira en el piso del restaurante donde se esclaviza cada noche. Alzaba esta plegaria en medio de la precariedad. ¿Sabrá ese mismo dios al que ella ahora clama, cuántas veces ella ha lanzado, tirado, blasfemado, gritado, llorado, esa plegaria? Quizás, pero no es un secreto para nadie que dios o sus delegados en ocasiones no pueden escuchar entre tanto ruido que hace la pobreza, el ruido de las tripas, de los machetes, del llanto de un niño con hambre, con el estómago cansado de tanto biberón con agua de arroz. Debemos de entender al pobre dios: el ruido de la pobreza es sencillamente aterrador.

Los movimientos de la señora dentro la cotidiana oscuridad serían envidiables si no supiéramos que por fuerza de la costumbre y el reducido espacio de la casa ella puede moverse sin equivocaciones y sin luz, con cuidado para no despertar a los niños, ni a Ramón, a quien de todas maneras ella tendrá que despertar en unos minutos: obligaciones conyugales. Sin cremas, ni objetos en el pelo, sólo con el cansancio, Altagracia se dispone a ocupar su lado en el viejo camastro. Va cubierta con una bata casi transparente pero, por favor, no vaya la mentalidad morbosa a engañarnos o confundirnos, ella no va así por instintos de sensualidad, simplemente la bata está desteñida, muy usada y abusada. No va protegida por los perfumes femeninos que han sido diseñados para la perdición total de cualquier ser a las tres de la mañana. El olor a sazones y grasa de la faena gobierna su cuerpo. En el mismo instante que ponía las pantuflas en cruz debajo de la cama, el estruendo de un disparo cercano la dejó atemorizada y nerviosa. Moncho, despiértate, Moncho…, atinó a decir la mujer.

*****

Media hora de averiguaciones, chismes, deliberaciones. Don Tulio decidió, seguido por Salvador y Leonel (Nengolo), entrar al cuarto de la pensión.

Hay que llamar a la policía Don Tulio, no podemos abrir esa puerta así. Cállese y empújela de nuevo carajo, no se sabe si ese muchacho está vivo o muerto; si hay que romper la puerta se rompe y punto. Salvador y Leonel (Nengolo) decidieron lanzarse ambos al mismo tiempo contra el pedazo de madera, al que se le llama puerta por la combinación de bisagras y pestillos que conlleva. El olor de la madera recién ultrajada fue percibido por Salvador. El olfato de Don Tulio reconoció la inmundicia de la ropa sucia amontonada. Leonel (Nengolo) estaba muy congestionado por la gripe. El escenario que la poquísima luz les permitió ver era espeluznante: botellas vacías, recipientes de comida para llevar, toallas húmedas. La nevera entreabierta dejaba ver leche cortada, legumbres añejas. Pérez estaba a un costado de la cama con la boca llena de espuma, la pistola en el piso. No había una sola gota de sangre en toda la habitación.

La llegada de la comitiva a la sala de emergencias de la clínica sólo aumentó la tensión que de por sí reina en aquellos espacios esterilizados. La condición del recién llegado no era crítica. Pero estaba semiconsciente y el asunto de la espuma en la boca… De inmediato un doctor, asistido por una enfermera, se hizo cargo de la situación. A ninguno de los acompañantes se le permitió traspasar la blanca cortina que dividía la agonía de la preocupación. Luego de otra media hora, el doctor corrió la cortina ligeramente: ¿Quién se hace responsable? Don Tulio, después de mirar a los demás y entender que era el mayor, dijo: Yo. ¿Cómo está? ¿Qué pasó? El doctor habló con esa paciencia maldita que poseen los galenos: Nada de cuidado. El caballero está intoxicado. Le inyectamos Dextrosa para aumentar el nivel de azúcar en la sangre y ahora le vamos hacer un lavado estomacal. No se preocupe, se podrá llevar a su hijo esta misma tarde. Pero aconséjelo, una intoxicación así pudo haber degenerado en una embolia.

Don Tulio no le aclaró al hombre de la bata que aquel muchacho que estaba en la camilla no era su hijo, sólo se limitó a dar las gracias, no había tiempo para cosas simples. Ahora iba a la recepción a dar sus datos y llenar formularios. En el camino fue interrogado por Salvador, Leonel (Nengolo) y un grupo de vecinos, incluyendo a Doña Altagracia y a Moncho, que se habían unido a la comitiva. En la última media hora, pudo salir de la clínica y tomarse un café negro para despertarse mejor. Cigarrillo en mano reparó en que al parecer sólo él notó el orificio ocasionado por la bala incrustada en el extremo derecho superior en la pared de la habitación de Pérez. El café se le cayó de las manos y le ensució el ruedo del pantalón. Pensó que el día en que los rifles, escopetas, pistolas, revólveres y ametralladoras tengan una mañana de ayuno, entonces, ese día sin duda comenzará la verdadera revolución. El humo del cigarrillo Montecarlo lo hizo estornudar. Ya casi nadie en aquel pedazo de isla fumaba esos cigarrillos, eran demasiado fuertes y la garganta dolía a los dos días de empezar a fumarlos. El estornudo hizo que se le aguaran los ojos y una lágrima, sin ningún tipo de intención, rodó por la cara llena de arrugas y ya que había empezado decidió, sin reparar en los transeúntes, ponerse a llorar. Lloró un poquito por ese pobre infeliz que se recuperaba allí dentro. Lloró otro poquito por su propio hijo muerto en una manifestación política el 24 de abril de 1984, se lo entregaron bañado en sangre y mierda. Lloró otro poquito por una bobería muy privada. Al final, lloró por él mismo y su deseo de irse a la puta mierda de una maldita vez. Pero no, el mundo todavía vale un poquito la pena.

*****

Diario de Navegación: Él ha llegado hasta acá y no es como una bendición propiamente dicha, es sólo como si tuviera, no todas, pero muchas de las respuestas. Tiene la paciencia de los sabios del pasado y la locura de algunos de los bohemios que quedan rondando por el Caribe.

Danbury es un pueblo pequeño, aquí lo hemos acogido con cariño, bueno, quién no, si en realidad su presencia no incomoda en lo absoluto, en ocasiones ha servido como bálsamo y aliento. Aunque hay que admitir que cuando llegó, perturbó la tranquilidad que acá reinaba. Imagínese, un hombre desnudo tratando de alcanzar el tren con toda la normalidad del mundo y de repente cae como fulminado por los impactos causados por la aurora: los primeros rayos solares.

Con el tiempo nos fuimos adaptando: su poesía, su paciencia celestial y aquella manera de conjugar los verbos y quemar las naves, y ese misterio invisible que nos traspasaba. Lo incómodo, en ocasiones, son sus silencios, que son de otro sabor. Esos periodos de mutismo, según Elisa, una brasilera que no sabe casi todo pero que presta bastante atención, son causados por el desvío oportuno de un amor que era imperceptible pero que volaba casi rozando el suelo. Ese amor, según Elisa, era el que desarreglaba las camas, se cagaba en las sábanas, despeinaba a las señoras en los holidays, ponía a levitar a los viejitos que tomaban el poquísimo sol en los bancos de los parques en la primavera recién nacida o en los otoños que agonizaban. Un amor interminable, a flor de piel encima de los techos en autopistas de dos pisos a kilómetros por hora. Amor Brand New hecho cada mañana cuando afuera empieza inevitablemente hacer frío, cuando afuera llueve, cuando haces llover. Amor de a pedazos de madera, hecho con retazos de anoche, gotitas de vino y victoria, cubitos de hielo y mierda de palomas y aplausos líquidos. Ese amor fue la confesión más dolorosa que había hecho este hombre tan bello tan joven con un aliento lleno de rosas, sin duda alguna un hombre perfecto y si en verdad dios hizo al hombre del barro del polvo de la tierra, entonces dios quizás no sea un buen dios, pero de que es un perfecto alfarero no cabe duda. Este hombre fue expulsado del reino geométrico por amar la belleza por ser honesto por besar donde no debía y bebía y aspiraba lo que no estaba permitido para los círculos cuadrados rectángulos polígonos y trigonomé-tricamente comió de lo prohibido y le gustó y cometió el peor de los errores: no se arrepintió y se declaró culpable del hecho de amar a su manera sin medida y sufrir el dolor de no tener ese cuerpo moreno jamás en sus brazos. Esa era la apuesta, aceptó y perdió.

Ese amor, según la brasilera, era el sueño que lo había traído a este fin de mundo donde sólo se come carne asada y las mujeres gobiernan en cada casa y donde hay un solo dance club donde cuando las mujeres bailan aparte de las tetas se les ven los sentimientos y el pasado. Por eso cobran más. A Baraka nunca le cobran y se queda a dormir con ellas. Se pierden tratando de adivinar qué hay detrás de esos ojos y de esa armonía entre lo que siente y transmite. El hecho de que apareciera desnudo en el frío piso de la estación de tren no era noticia ya que hay una de las muchachas que desde que se da dos tragos suele caminar encuera de la cintura para abajo como si nada. Lo que nos ha extrañado es ese asunto del que habla cada vez que se emperica y se emborracha. Sin que nadie le pregunte quién es, o de dónde viene, empieza a llorar en la barra diciendo: Soy el Hombre Triángulo, soy el Hombre...

*****

Las conversaciones post-sexo son de un carácter delicado. Muchas de estas comienzan con preguntas que en la mayoría de los casos son ridículas como: ¿Mami, cómo lo hice? ¿Verdad que te gustó lo que di? Estas conversaciones también surgen por aseveraciones no menos jocosas: Yo no había hecho esto con nadie en la primera noche. Espero que no vayas a creer que soy una cualquiera.

Sería injusto no mencionar la pregunta que ha dado pie a más del 50% de este tipo de conversaciones, una pregunta llena de futuro, eternidad e inconformidad y que se ejecuta inmediatamente al terminar el primer round o al final de la pelea, cuando la señorita se pone de espaldas al caballero y cubre su cuerpo desnudo y empieza a sollozar de manera casi imperceptible. El caballero nota la situación, la abraza, le pregunta qué pasa y ella se lleva las manos a la cara para decir: ¿Y ahora, qué tú vas a pensar de mí?

En una relación como la de Rotunda y Pérez estas conversaciones son bastante complicadas. Estos cuerpos se reconocen en cualquier oscuridad, no por causa de amor sino por efecto dominó de la costumbre y el acoplamiento. Esta sesión post-sexo contiene temas específicos y determinantes. Rotunda, conciente de que en la historia de la humanidad nada bueno ha venido después de esas cuatro palabras, dijo: Tengo que decirte algo… conseguí la visa para Holanda, me voy en una semana. Pérez, más asustado que sorprendido, se aferró a cualquier cosa: Pero creí que tú no tenías ni para el pasaje… dime que vendiste la televisión para jartarte a galletas a ahora mismo. Rotunda encendía un cigarrillo para perderse en varias telarañas del techo: Vendí la nevera, saqué un clavo que tenía en el banco y mi hermana me mandó lo otro; yo te prometí no venderla, así que el niño se quedará con ella. Lo voy a dejar con mis padres, mañana lo llevo para Jánico. Un silencio lento y pesado como manteca se apoderó de los cuerpos resacados y llenos de miedo. Pérez pensaba unas palabras en voz baja y Rotunda en un gesto sin precedentes le acariciaba un lóbulo muriéndose de pena. La mujer comprendió todo y le contestó, en voz baja también: Sí, ómbe, sácala de ahí a la pobre Matilde.

*****

No hubo necesidad de tocar más el tema. El silencio y las lágrimas de Pérez eran comprensibles. Rotunda se puso cualquier cosa y regresó con cigarrillos, otro pote de ron y más hielo. Pérez seguía bebiendo aunque todavía no estaba totalmente recuperado de la borrachera del otro día. El sabía que tenía que aguantar el trago, todo el mundo se lo había dicho, pero en fila india él los iba mandando a la mierda vaso a vaso: Nadie sabe lo que yo estoy sufriendo por dentro coño. La boca era un estropajo donde la lengua de trapo bailaba sin control y así mismo salían las palabras y la baba y la mierda: Todo esto no es más que un asunto de frustraciones, sí, frustraciones sin culpables ni inocentes, nada de que hay que ser valiente y pararse frente al espejo y descubrirse, nada de espejos coño, ya quisiera yo poderme afeitar al tacto para no tener que andar por la calle con la certeza de que ese otro yo existe, con esa cara pesada y amarga y falsa. Cero autoterapia coño, que se vayan a la mierda todos los malditos sicólogos y las viejas con sus cursos de macramé y porcelanicrón y velas aromáticas, cero mentiras coño, cero malditas mentiras. Para qué voy a resolver los problemas, para qué, para resolver uno y encontrar catorce. Desilusión tras desilusión. ¿Quién estará a mi lado en el momento de la caída? Tú también te vas, todo el mundo se va y los que no se van yo los boto, los aniquilo. ¿Qué coño voy hacer yo ahora que tú también te vas? ¿Ir corriendo mañana al mani-comio a buscar a Matilde? ¿Pero tú te crees que las vainas son así de fáciles? Tengo el cuerpecito cansado, sin risa, con la mente por allá y las rodillas independientes. Lo hice, fui el ladrón, el mendigo, la puta, el macabro, el hacedor de milagros, el rompelágrimas, el comandante, la sombra, el miembro, el maricón, el movimiento, la espalda-ruñada, el machete preparado, el corta uñas oxidado, la medicina, la alucinación, ahora soy la despedida.

Rotunda no tenía miedo pero nunca había visto a Pérez así, llorando, tirado en el piso babeando con un llanto que le salía de alguna constelación en el pecho desnudo que golpeaba con un puño cada vez que hablaba. Ella no sabía si abrazarlo o consolarlo. Una fuerza subterránea la mantuvo inmóvil en una esquina de la cama, mientras él caminaba de un lado a otro dándose golpes en el pecho y agarrándose la cabeza: Primero, primero será la sangre, sangre intoxicada que brotará de mí a caudales y se extenderá por la faz de la tierra, la misma tierra que abrirá sus fauces para tragarme y confundirme con raíces, gusanos, minerales, incluirme a la tierra, a morar en la tierra, debajo de ella gobernada por cruces blancas, grises, flores nuevas, flores marchitas, hipocresías.

Pérez, arrodillado, escarbaba el suelo sucio con las uñas generando un ruido insoportable. Rotunda definitivamente salió de su inmovilidad y trató de levantarlo. Con una rápida reacción, él la tomó de los hombros con fuerza y la miró a los ojos, la llevó hasta la esquina de la cama de nuevo. Con movimientos embriagados abrió la bata para dejar las grandes tetas al descubierto. Se alejó poco a poco hasta la otra esquina de la cama que ya no era cama, era un campo de batalla, una plaza geométrica donde todas las teorías se caían, rodaban, resbalaban como mangos podridos. Desde la otra esquina de la cama, desde su mitad, desde ahí podría ver mejor a la pobre mujer-hombre-hembra-gata que no captaba un coño de lo que estaba aconteciendo hasta que una mano de Pérez sostuvo el miembro flácido con un movi-miento constante, al principio lento… ahora más rápido, a toda máquina. La estimulación era inútil. El ripio seguía allí, blando, como una cosa inservible: Ni eso puedo, nunca pude. ¿Y ahora, que tú también te vas, qué voy hacer?

Rotunda trató de ayudarlo. Se acercó para besarlo con cariño; como una buena madre le cantó cancioncitas al oído y lo fue acostando despacio, bocabajo en la cama: Mi hijo, mi tesorito, mi bebé. La cara del muchacho, contra la almohada ahogada en sudor viejo, se apagaba en un sollozo intermitente y lo demás fue piel de gallina, calor de alcoholado glacial recorriendo las venas vacías y la mujer detrás, encima, intentaba, experimentaba sin vergüenza primero con un dedo, luego con otro, un entrar y salir, subir y bajar circular. Como mujer buena comprendió todo y reconoció que ya no era cuestión de agotar posiciones, de abrir las piernas ni de acariciarse las tetas, sacarse la lengua o ponerse en cuatro torpe-mente. Quizás toda la solución radicaba ahí, con Pérez de espaldas queriendo morirse de pena, de vergüenza del goce de un placer que ahora venía de adentro para afuera, de tres dedos sollozando, rompiendo la pared dentro de él: Que se me venga el mundo encima, mujeres con faldas largas de luto universal, hombres con botas hasta las rodillas, las lenguas de Baraka, flores con olor a muerto, la lejanía, un Triángulo mordiéndome la bemba, ahora que estás tan lejos mi pobre Matilde de niños y guaná-banas y esperanzas y tus cicatrices: qué será de él en este mundo tan straight.

De pronto toda la habitación se transformó en un susurro flojo, en una respiración pesada. Rotunda, por debajo del sobaco derecho, pudo ver la sonrisa de placer que recogía las lágrimas como una red vacía. Entonces entendió que el mundo era una sola mentira, que no había motivo para que su madre, su padre y su hijo, juraran y perjuraran que ella se iba para Holanda a cuidar ancianos, a limpiar casas, si todo el mundo en la iglesia, en la calle y en la escuela sabían que ella iba a dar el culo por batata desde que llegara a Europa para darles una mejor vida y quizás hasta construirles una casa, mientras este hombre, con movimientos epilépticos, reconoce al fin el placer, desde adentro, desde sus profun-didades: Ahora, mi Rotunda con tus vellos de hombre y tus bigotitos y tu voz, ahora, Triángulo, aunque no estás, ahora, Matilde, tú más que nunca: ahora que están más allá y yo regreso a este mundo mientras me alejo.

Nueva York, otoño 2002

Esta cuarta edición de *El hombre triángulo*
de Rey Emmanuel Andújar
se terminó de imprimir en el mes de febrero de 2015
en San Juan, Puerto Rico.